123

Título original: *Caillou and the Rain*
Traducido por Alberto Jiménez Rioja
Texto adaptado por Roger Harvey del guión de la serie animada de televisión CAILLOU, producida
por Cookie Jar Entertainment Inc. (© 1997 CINAR Productions Inc.,
una filial de Cookie Jar Entertainment, Inc.). Todos los derechos reservados.
Ilustraciones extraídas de la serie de televisión CAILLOU.
Guión original escrito por Marie-France Landry.
Diseño gráfico: Monique Dupras
Gráficos por ordenador: Les Studios de la Souris Mécanique

2ª edición

EDITORIAL EVEREST S.A.
División de Licencias y Libros Singulares
Calle Manuel Tovar, 8
28034 Madrid (España)

ISBN: 978-84-441-4032-2
Depósito legal: LE-327-2008
Printed in Spain – Impreso en España
Editorial Evergráficas, S.L.

Licenciado por

www.elasticrights.com

Visto en

Un producto de

caillou ™

y la lluvia

everest

Una mañana, mamá se estaba abrochando
el impermeable mientras esperaba a Caillou.

—Tenemos que hacer varios recados esta
mañana, Caillou. ¡No olvides ponerte
las botas de goma! Va a llover, ¿sabes?

En cuanto mamá dijo esto, Caillou bajó
las escaleras con las botas en la mano.

—¡Hurra! Voy a saltar en todos los
charcos que encuentre —anunció Caillou
contentísimo, sentándose en el primer escalón.

Se calzó la bota en el pie izquierdo y, antes de continuar, la miró asombrado.

«¡Vaya! Qué raro...», pensó Caillou.

Entonces se dio cuenta de que se había puesto la bota en el pie que no era.

Cuando tenía los pies correctamente metidos en las botas se acercó a la puerta.

Mamá había ido a buscar el chaquetón impermeable de Caillou.

—Te ayudo a ponértelo —le ofreció mamá.

—No —contestó Caillou—, sé ponérmelo yo.

Pero solo consiguió meter un brazo por la manga que no era y se quedó atascado. Caillou intentó liberarse, pero se lió cada vez más y acabó por quitarse el impermeable por la cabeza.

Después de intentarlo muchas veces, Caillou logró ponérselo.

—¡Lo conseguí! —exclamó muy orgulloso.

—Muy bien, Caillou. Ahora voy a ayudarte a abrocharlo.

Mamá abrochó el chaquetón de Caillou y le dio un gorro para la lluvia.

—Ahora sí; ya podemos irnos —dijo mamá, abriendo la puerta.

Llovía a cántaros. Al ver tanta agua, Caillou se acordó de algo muy importante.

—Mami...

—¿Sí, hijo?

—Tengo que ir al baño —contestó apurado Caillou.

Mamá suspiró, un poco impaciente, y dijo:

—Está bien, vete.

Volvieron a entrar en casa y mamá ayudó a Caillou a quitarse el chaquetón. En cuanto se quitó las botas, Caillou corrió escaleras arriba.

—Te espero aquí —dijo mamá mientras Caillou corría hacia el baño.

Por el camino, Caillou estuvo a punto de tropezar con un cochecito que estaba en el suelo. Al verlo, se distrajo y empezó a jugar con él, olvidando que había subido para ir al baño.

—¡Brumm! ¡Brumm! —hizo Caillou, empujando el cochecito frente a él.

Después lo empujó por la pared.
—¡Brumm! ¡Brumm!

El cochecito cayó hacia atrás y aterrizó sobre la alfombra.

—¡Cuidado! ¡Brumm!

El cochecito acabó por chocar con los pies de papá, en el pasillo.

—Caillou —llamó papá. Pero Caillou no le oyó.

—¡Brumm! ¡Brumm!

—Caillou —repitió papá, un poco más alto.

Sin prestar atención, Caillou siguió jugando con el cochecito, hasta que acabó por pasar con él por encima de los pies de papá.

Entonces, desde esa altura, miró hacia arriba.

—¿Sí? —dijo distraído.

—¿Qué estás haciendo aquí? —preguntó papá.

Caillou se quedó avergonzado.

—Eh…, yo… pensaba ir al cuarto de baño —dijo levantándose—. ¡Uy! Se me había olvidado —añadió.

Le dio el cochecito a papá y fue corriendo
al baño.

En cuanto estuvo sentado en el inodoro,
Caillou miró a su alrededor y vio una caja
de pañuelos de papel sobre la cisterna.
Agarró la caja y empezó a jugar
a los avioncitos con ella.

—Bbbb…

En ese momento, papá abrió la puerta del baño.

—Bbbb… ¡Mira, papá, un avión! —exclamó Caillou.

Papá se acercó y dijo:

—¿Puedo ver tu avión, por favor?

Caillou le dio la caja.

—Vamos a dejar que aterrice en el aeropuerto, ¿te parece? —declaró papá, colocando de nuevo la caja en su lugar—. Tu avión seguirá aquí cuando vuelvas —añadió papá—. ¿No ibas a salir con mamá?

Caillou miró con cara de susto a su papá.

—¡Mamá! ¡Se me había olvidado! ¿Sigue esperándome?

Caillou llegó al vestíbulo en el preciso momento en que mamá colgaba los impermeables.

—¡Estoy aquí, mamá! ¿Ya no salimos? —preguntó ansioso.

Mamá lo tranquilizó.

—Claro que salimos. Solo que... ahora...

Abrió la puerta y Caillou vio que ya no llovía. Pero, aunque lucía el sol, todavía quedaban muchos charcos.

Entonces Caillou se sentó en el escalón y volvió a ponerse las botas de goma.

—Primero este pie, luego el otro... —dijo Caillou en voz alta.

Al dirigirse a la puerta, miró a mamá
y se quedó muy sorprendido.

—Creo que te olvidas de una cosa —dijo
señalando los pies de ella.

Mamá se dio cuenta de que estaba
en calcetines.

—¡Vaya! —rió. Ahora era su turno
de ponerse las botas.

Por fin, Caillou y mamá salieron de casa.

—¡Yupi! ¡Charquitos! —exclamó Caillou,
que echó a correr y empezó a salpicar
en el agua, muy contento.

Mamá, que iba detrás de él, tuvo que decirle:

—Sé que es divertido, Caillou, pero tenemos
que hacer las compras.

—¡Por favor! Solo un poquito más,
mamá —pidió Caillou.

Entonces a mamá se le ocurrió una idea.

—¿Sabes qué podemos hacer, Caillou?
Pues verás…

Mamá atravesó un charco y empezó a andar,
dejando huellas de agua en la acera.

—Ahora te toca a ti —dijo mamá.

Caillou no perdió un segundo. Saltó dentro
del charco y fue soltando risitas a medida
que seguía a mamá y dejaba también,
con orgullo, sus pisadas sobre la acera.

Colección Mis cuentos de Caillou

caillou planea una sorpresa

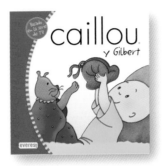
caillou y Gilbert

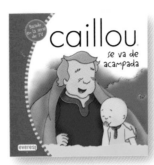
caillou se va de acampada

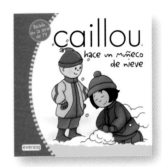
caillou hace un muñeco de nieve

caillou y la muñeca de Rosie

caillou recoge sus juguetes

caillou y el gran tobogán

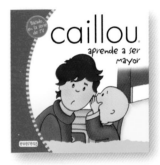
caillou aprende a ser mayor

caillou envía una carta

caillou y la lluvia

caillou duerme fuera de casa

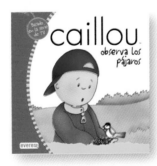
caillou observa los pájaros

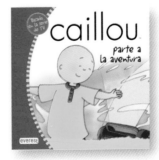
caillou parte a la aventura

caillou viaja en avión